À Guillaume et Mathilde
G.B. et H.L.

© 1999, Éditions Autrement
17, rue du Louvre, 75001 Paris
Tél. : 01 40 26 06 06 - Fax : 01 40 26 00 26.

ISSN : 1269-8733 ISBN : 2-86260-952-8.
Dépôt légal : 4ᵉ trimestre 1999.
Photogravure : Média Scanner, Andorre.
Imprimé et relié en France par Partenaires-Livres.

Quand maman avait mon âge,

elle n'était pas plus grande que moi
et elle était quelquefois en noir et blanc.

Texte : Gilles Bonotaux et Hélène Lasserre

Illustrations : Gilles Bonotaux

Autrement Jeunesse

Maman n'aimait pas les petits déjeuners, surtout les matins d'école. Il était encore trop tôt pour qu'elle ait faim et, en plus, Mamie (la maman de maman) faisait bouillir le lait.

En ces temps lointains, on n'avait pas encore inventé le micro-ondes... ça faisait une peau infecte qui se ridait à la surface du bol. Maman préférait les jeudis matin*.

* Les astérisques renvoient au glossaire placé en fin d'ouvrage.

Le lait débordait
et ça mettait
tout le monde de
mauvaise humeur,
sauf le chat !

Maman préférait les mandarines
et, à la rigueur, du pain grillé
avec du Benco dessus.

La grande sœur de maman restait
beaucoup trop longtemps dans la salle de bains.

Ouvre,
la grosse ou je
le dirai à
maman!

Répète
ce que tu viens
de dire !

MAMAN!
MAMAN!

Et quand il faisait
froid, elle devait
mettre des collants
de laine sous sa jupe :
ils étaient soit
trop courts, soit trop
longs. De toute façon,
ils grattaient toujours.

Ça
gratte
et c'est
moche!

L'école n'était pas très loin, mais la maman de maman accompagnait sa fille avant de partir à son travail. Il fallait traverser dans les clous*

pour ne pas se faire gronder par l'agent de police qui avait des gants blancs, un sifflet, un képi et un bâton lumineux pour régler la circulation.

En partant, maman disait toujours "bonjour" à la concierge.

Sur le chemin, elle était souvent distraite par tout ce qu'il y avait autour d'elle :

la boulangerie qui sentait très bon...

...les poubelles qui sentaient très mauvais...

...les colonnes Morris* qui ne sentaient rien du tout...

Mais le plus horrible, c'était les vespasiennes*...

et les poteaux, qu'elle n'avait pas vus !

Certaines écoles n'étaient pas mixtes*,
mais, dans sa classe, il y avait des garçons et
des filles. Elle se demandait vraiment si c'était
un progrès. La plupart des garçons étaient très
vulgaires et paresseux. Ils jouaient à des jeux
idiots, étaient complètement nuls à l'élastique
et s'amusaient à soulever sa jupe pour voir
sa culotte (dans ces cas-là, les collants de laine
avaient leur utilité !).
Maman disait qu'elle ne se marierait jamais,
en tout cas pas avec un garçon... avec papa,
à la rigueur !

Le pire, c'était quand la maîtresse lui imposait de s'asseoir à côté d'un garçon : c'était vraiment pas drôle !

Il fouillait dans ses affaires bien rangées,

il copiait tout le temps sur elle, et ne voulait jamais l'aider quand elle était en difficulté.

Bref, être la voisine d'un garçon, maman ne l'aurait pas souhaité à sa pire ennemie !

Maman était très sage, studieuse et obéissante.
Elle ne bavardait jamais, sauf peut-être
avec sa voisine de derrière (en tout cas pas
avec le garçon d'à côté) et seulement quand
elle avait quelque chose de très important
à dire. Le problème, c'est qu'elle avait souvent
des choses importantes à dire à sa copine,

des secrets qui ne pouvaient pas attendre
l'heure de la récré.
La maîtresse, qui n'était pas toujours
compréhensive, la mettait à la porte.
Alors, elle se cachait pour ne pas se faire
repérer par le directeur.

Mais quand elle ne mettait pas maman et ses copines à la porte,
la maîtresse pouvait...

tirer les couettes... mettre du scotch sur la bouche, et parfois même les enfermer dans l'armoire.

Et même si ce n'était pas une punition, aller au tableau se transformait parfois en cauchemar.

À cette époque,
la vie était
très dure ,
pour maman.

D'habitude, maman écrivait au stylo-bille*
ou au stylo-plume, mais de temps en temps
(pour les poésies, par exemple) la maîtresse
distribuait des textes ronéotypés*. Ainsi maman
ne risquait pas les "fautes de copie". Les lettres
étaient bleu-mauve et l'odeur bizarre. Il fallait
ensuite fixer la feuille dans le cahier (de poésie,
bien sûr) en se servant du pot de colle blanche
et de la petite pelle : ça sentait tellement bon
l'amande que maman en aurait volontiers mangé.

En coloriant le dessin, maman pouvait rêver à ce qu'elle ferait quand elle serait grande :

danseuse et fermière,

hôtesse de l'air,

vétérinaire,

princesse,

boulangère,

institutrice, pour avoir sa revanche...

...en tout cas, pas les métiers qui aiment le sang comme boucher ou docteur !

Dans la cour de récré*, même s'il n'y avait plus de mur ou de grillage pour séparer les garçons et les filles, maman ne jouait qu'avec ses copines : les garçons étaient vraiment trop brutaux, n'avaient pas les mêmes jeux ou ne faisaient rien que de les embêter.

Quand il pleuvait, elle se réfugiait dans le préau, mais ce n'était pas pratique pour jouer à la corde, à l'élastique ou à la balle au mur.

Mais la plupart du temps, il ne pleuvait pas et maman pouvait jouer...

...à la marelle... à l'élastique ou à la corde,

mais certainement pas
au tac à tac*,

c'était formellement interdit à l'école.

Maman préférait les leçons d'éveil* au calcul
ou au français. D'abord, parce qu'elle aimait
mieux être réveillée qu'endormie et que
l'histoire, la géographie, les leçons de choses ou
la musique, c'était tout de même plus intéressant
que l'orthographe ou les mathématiques.

En géographie, elle appréciait les noms
qui l'étonnaient sans pour autant savoir de quoi
il s'agissait : le Bassin parisien, le plateau
de Millevaches, l'aiguille du Midi, le mont
du Canigou et l'Ille-et-Vilaine.

Il y avait aussi beaucoup de choses en histoire qui surprenaient maman.

Les rois fainéants qui passaient leur temps à dormir.

Le pauvre gars qui s'était fait casser la tête par Clovis... Tout ça pour un vase.

Les otrabes arrêtés à Poitiers en 732 (l'ancêtre de sa copine Leïla avait dû réussir à passer car elle était née à Paris.)

PARIS

Morale
ceux qui ne vont pas à l'école restent ignorants.

Ce sacré Charlemagne qu'elle confondait avec Jules Ferry parce qu'ils avaient tous les deux inventé l'école.

Saint Louis sous son chêne.

Le bon Henri IV, son panache blanc et sa poule au pot.

Le prétentieux Louis XIV.

La grande guerre avec des poilus qui prenaient le taxi.

HEP ! TAXI

Ce qui était moins drôle,
c'était d'apprendre toutes les dates par cœur.

Maman mangeait à la cantine. D'accord, les parents n'étaient pas là pour la surveiller, mais il y avait quand même des adultes pour l'obliger à finir les lentilles avec des cailloux dedans, les morceaux de gras, les infâmes carottes vichy ou les épinards "bouses de vache".

Ce n'était pas un self, mais de grandes tables de huit. De toute façon, ce qui intéressait le plus maman et ses copines, c'était la grande récré. Là, c'était chouette, maman pouvait organiser de grands jeux, même avec les garçons.

À la cantine, maman avait ses habitudes :

elle se bourrait de pain avant les hors-d'œuvre,

avec les brocs en plastique, elle pouvait servir deux verres à la fois

et s'installait, si possible, à côté du radiateur (pour y cacher la viande qu'elle ne voulait pas manger).

Elle aimait : les nouilles, la purée, les petits pois et, bien sûr, les desserts.

Quand quelqu'un cassait son assiette, tout le monde applaudissait.

Certains jours étaient exceptionnels... quand
la maîtresse organisait une sortie pédagogique
au musée de l'Homme*. Maman pouvait
y contempler les costumes rituels des grands
guerriers Massaï ou des petits Pygmées, ainsi
que les habitations des gens du monde entier.
Avant cela, il fallait aller en rang jusqu'au

métro, se tenir correctement dans les wagons
et, bien sûr, ne pas monter en première classe*.
Hors de question aussi de fumer ou de cracher
(ce que, de toute façon, maman n'aurait pas
fait, c'était dégoûtant !).
Maman comptait les Dubo, Dubon, Dubonnet*
entre les stations.

En sortant du métro,
elle disait poliment
"au revoir" à la pauvre
poinçonneuse*
qui passait sa vie
à faire des petits trous
dans les tickets.

Au musée, maman ne faisait pas toujours tout comme tout le monde
et quittait le groupe pour aller voir ce qu'elle n'était pas censée regarder :

la Vénus hottentote,

les pieds des Chinoises
de l'ancien temps,

les différentes formes de seins
à travers le monde.

Après, il arrivait
qu'elle soit perdue.

Une fois, un monsieur important à l'air sévère arriva dans la classe de maman avec monsieur le directeur : c'était l'inspecteur*.
Avant sa venue, la maîtresse avait fait des recommandations pour que maman et les autres élèves soient sages, obéissants et attentifs.

D'ailleurs, et c'était bizarre, elle était elle-même très patiente, douce et gentille et n'interrogeait que les bons élèves... c'est vous dire comme tout le monde avait la trouille !
Alors maman, persuadée que l'inspecteur était venu pour elle et non pour la maîtresse, récitait plus que parfaitement le plus-que-parfait.

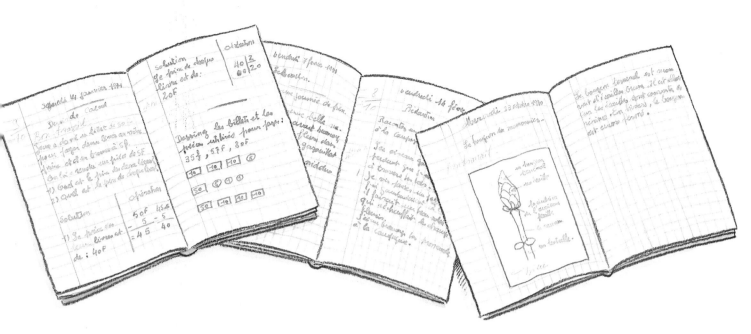

Tous les cahiers étaient propres (surtout ceux sélectionnés par la maîtresse).

Et même les plus chahuteurs étaient "sages comme des images".
Le premier de la classe aussi, mais lui, c'était habituel !

À la fin de la journée, quand l'inspecteur était parti, tout le monde pouvait souffler,
les élèves et la maîtresse.

Une fois par semaine, maman faisait de la gym*
avec un vrai prof de sport : heureusement,
ce n'était pas la maîtresse qui s'en occupait !
Le matin, maman ne devait pas oublier
ses affaires : le short ou le survêtement
(qu'on n'appelait pas encore jogging) et
les tennis, qui n'étaient pas des baskets...
encore moins des Nike ! Le professeur était
gentil, mais il n'aimait pas les "tas de nouilles".

Pour le dessin ou la musique, c'était aussi des professeurs de la Ville de Paris. En revanche, pour les cadeaux de la fête des mères, la maîtresse tenait à s'en occuper elle-même.

Avant tout, il fallait réunir le matériel nécessaire. Confectionner, couper et coller avec amour et discipline.

Le résultat était très joli (la maman de maman était toujours très contente et fière de sa petite fille).

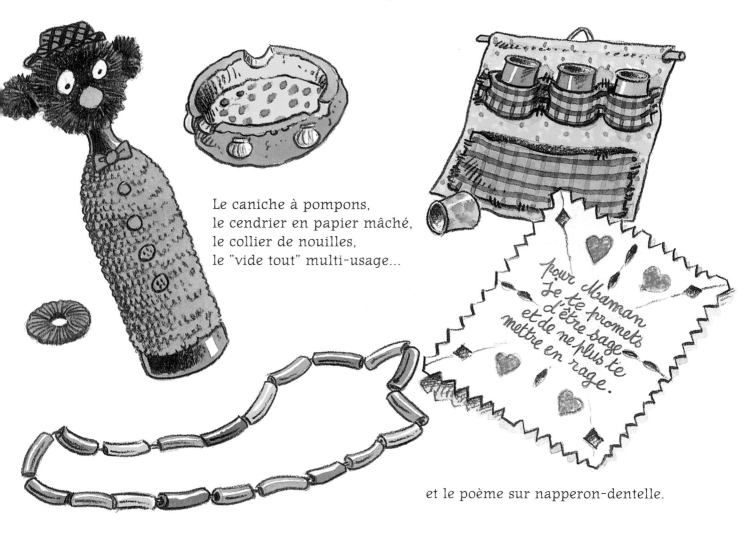

Le caniche à pompons, le cendrier en papier mâché, le collier de nouilles, le "vide tout" multi-usage...

et le poème sur napperon-dentelle.

Certains soirs, à la sortie de l'école, maman pouvait aller, avec ses copines, s'acheter des bonbons (à condition qu'elle ne traîne pas trop en route). La veille, elle avait pu garder l'argent des bouteilles consignées* parce qu'elle avait rendu service en allant faire les commissions*.

Ces soirs-là, maman trouvait injuste que la maîtresse ne les fasse pas sortir dès que la cloche sonnait.
L'heure de la sortie, c'était vraiment le meilleur moment de la journée.

Quand maman avait de l'argent, elle avait aussi beaucoup d'amies.

On se demande pourquoi, mais la boulangère n'était pas toujours très aimable quand maman et ses copines entraient toutes dans son magasin. De toute façon, maman s'en fichait... c'était les bonbons qui l'intéressaient.

Les Curly-Wurly ou mousquetaire,

les roudoudous,

les boules de noix de coco,

les colliers,

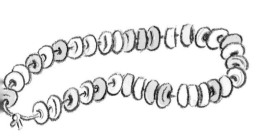

les rouleaux de réglisse,

les hosties ou soucoupes,

les petites bouteilles ou les verres empilables, pratiques pour jouer à la dînette.
Maman terminait toujours par les Malabars.

Maman n'avait pas vraiment de chance :
elle était dans la même chambre que sa grande
sœur. C'était pratique pour fouiller dans
ses affaires, mais pour faire ses devoirs,
c'était vraiment moins drôle !

Sa sœur écoutait le transistor, refusait
de l'aider, faisait sa "commandeuse" et lui criait
tout le temps dessus. Alors maman partait jouer
dans la chambre de son frère.

Il était un peu crâneur parce qu'il était en sixième.

Mais rigolo quand même parce qu'il faisait parler sa poupée.

Maman aimait moins quand il faisait un trou dans les fesses de sa poupée pour qu'elle fasse pipi,

et pas du tout quand il la scalpait.

Dans ces cas-là, les représailles étaient terribles :

maman pouvait jeter par la fenêtre les pneus des Dinky*

ou tout simplement écraser une Norev*.

Aller jouer au square, pour maman et ses copines, ce n'était pas habituel. Il fallait qu'il fasse beau, qu'une grande personne les accompagne et que les devoirs soient terminés. L'idéal, c'était le mercredi soir car il n'y avait pas école le lendemain. L'odeur du buis et de l'herbe fraîchement coupée... ça sentait presque les vacances !

Maman prenait sa trottinette ou ses patins à roulettes et, bien sûr, son élastique. Elle trouvait dommage que le manège ou les balançoires ne soient pas gratuits comme le bac à sable.

C'était bien quand la grande personne qui accompagnait maman était riche et généreuse.

Elle leur payait le manège, les petites carrioles à pédales, et même des barbes à papa.

C'était moins drôle quand il fallait jouer...

...dans la cage d'escalier parce qu'il y avait les voisins...

...dans la cave parce qu'il y avait des araignées et des charbonniers*...

...ou dans la cour, parce qu'il y avait la concierge.

Maman jouait aussi à la maison. C'était encore mieux quand elle pouvait inviter des camarades. En plus, dans ces cas-là, la maman de maman préparait un meilleur goûter que d'habitude : du Fruité ou du diabolo fraise (à la place de la traditionnelle grenadine), des choco-BN, du chocolat au lait et même un tube de lait concentré sucré que maman et ses copines se partageaient. Après, elles pouvaient aller jouer sagement dans la chambre à des jeux de société, à condition de ne pas toucher aux affaires de sa grande sœur.

Mais ce n'était pas courant d'inviter des copines et ça ne pouvait pas se faire au dernier moment.

Maman n'avait pas le droit de se servir du téléphone* (réservé aux grandes personnes). De toute façon, beaucoup de ses amies ne l'avaient pas.

À cette époque, le téléphone ne faisait pas tu-uu-uu-ut mais driiiinnng !

Alors maman jouait toute seule, aux Barbies, aux déguisements, à la dînette, et à la petite école.

Même si la baignoire était très petite
(c'était une baignoire sabot*) maman aimait
bien prendre des bains. C'était le moment où
elle pouvait jouer "à l'eau" sans que personne
ne la gronde, le moment où sa poupée pouvait
faire pipi (celle qui avait un trou dans les fesses)
et accessoirement l'occasion de se laver.

Elle aimait moins les shampooings, car
ils piquaient les yeux. Quand elle sortait
de l'eau, Mamie (la maman de maman)
la séchait et la réchauffait en lui soufflant
des bisous chauds à travers la serviette,
puis la frictionnait avec de l'eau de Cologne.

Une fois seule, maman avait tout le loisir de s'occuper de ses enfants et d'elle-même...

... malgré l'incompréhension de ses parents.

Au dîner, maman avait toujours du mal à finir son assiette de soupe, surtout celle au tapioca. Elle aurait préféré que ce soit les desserts qui fassent grandir. Ses parents avaient beau lui dire que c'était bon pour elle, les salsifis, les navets ou le poisson avec des arêtes, c'était quand même infecte.

Alors, elle devait tout terminer en pensant, en plus, aux petits Biafrais* qui n'avaient rien à manger (maman aurait volontiers partagé). Elle se jurait que quand elle serait grande, elle ne ferait jamais de soupe...

... ou à la rigueur,
celle avec des lettres en nouilles.

Heureusement, il y avait tout de même de bonnes choses
comme les œufs à la coque avec les mouillettes.
Quand maman l'avait fini, elle faisait régulièrement
la même farce à son papa en retournant son œuf vide
dans le coquetier. Ça marchait toujours.

Après le repas, la vaisselle était le travail des enfants.

Le soir, maman n'avait pas le droit de regarder la télévision à part *Colargol* (qui était un peu bébé), *La Piste aux étoiles*, parce qu'il n'y avait pas classe le lendemain, la publicité (surtout celle avec un monsieur bizarre, à drôles de moustaches, fou de chocolat !)

et exceptionnellement *L'Odyssée sous-marine* du commandant Cousteau, parce que c'était éducatif !
Autrement, l'ORTF* pour les enfants, c'était seulement le jeudi après-midi.

Elle pouvait voir : *Ploum la chenille,*

Fais-moi un Gouzi-Gouzi!

ou *Le Schmilblic*.*

Est-ce que le Schmilblic dont auquel vous parlez m'sieur Guy Lux est-il noir ?

Les autres émissions étaient des affaires sérieuses de grandes personnes qui, de toute façon, ne l'intéressaient pas. Alors, elle s'endormait, pour de faux, comme s'endorment les princesses...

Bonjour à mémé et à toute la famille.

... puis s'endormait pour de vrai comme toutes les mamans, quand elles étaient petites.

GLOSSAIRE

BAIGNOIRE SABOT : Plus petite que la baignoire traditionnelle, elle est conçue pour être utilisée en position assise.

BIAFRAIS : À l'époque de maman, on parlait beaucoup de la guerre du Biafra (République fédérale du Nigéria, 1967-1970). Comme dans toute guerre, les populations civiles souffraient et manquaient de tout.

BOUTEILLES CONSIGNÉES : Quand maman, était petite, les bouteilles de vin, bière, jus de fruit, eaux minérales étaient en verre (souvent avec des étoiles sur le goulot). Lorsqu'on achetait une bouteille d'eau, par exemple, une partie de la somme pouvait être remboursée si on rapportait la bouteille vide chez le commerçant (environ 50 centimes). C'était une façon très écologique de récupérer le verre. Cette pratique s'est perdue avec l'apparition des bouteilles en plastique.

CHARBONNIERS : Dans beaucoup d'immeubles, on se chauffait encore avec des chaudières au charbon. Avant chaque hiver, les charbonniers (on les appelait aussi les bougnats) venaient livrer le charbon dans les caves. Ils portaient de lourds sacs, aussi noirs qu'eux... Ils faisaient un peu peur !

LES CLOUS / PASSAGE CLOUTÉ : "Les clous", terme familier pour passage clouté. Les passages piétons étaient marqués au sol par de gros clous de métal. Aujourd'hui, ce sont des bandes blanches beaucoup plus sécuritaires.

COLONNE MORRIS : Mobilier urbain typiquement parisien où étaient placardées les affiches des spectacles de théâtre.

COUR DE RÉCRÉATION : Quand l'école n'était pas mixte, les cours de récréation étaient séparées par un mur ou du grillage. Les élèves ne rentraient pas par la même porte : il y avait une entrée pour les filles, une autre pour les garçons.

COURS DE GYM : Depuis plus d'un siècle, à Paris, des professeurs assurent les cours de gymnastique, dessin et musique. À l'époque de maman, on les appelait "maîtres auxiliaires des enseignements spéciaux" ; aujourd'hui, ce sont des professeurs de la Ville de Paris. C'est une particularité de la capitale ; partout ailleurs, ces enseignements sont dispensés par les instituteurs.

DINKY / NOREV : Marque de petites voitures à l'échelle 1/43ᵉ.

DUBO, DUBON, DUBONNET : Publicité pour un apéritif qui se trouvait dans les tunnels du métro entre deux stations. Quand maman le prenait, elle guettait ces inscriptions... Ça faisait passer le temps !

FAIRE LES COMMISSIONS : Faire les courses.

L'INSPECTEUR D'ACADÉMIE : Il vient régulièrement dans les classes inspecter les instituteurs, apporter aides et conseils et surveiller la bonne application des programmes de l'Éducation nationale.

JEUDI : À l'époque de maman, les enfants allaient à l'école les lundi, mardi, mercredi, vendredi et samedi toute la journée. C'est en 1969 que le samedi après-midi est libéré et à partir de la rentrée scolaire de 1972 que le mercredi remplace le jeudi.

LEÇON D'ÉVEIL : La réforme de 1969 crée le tiers-temps pédagogique. Les matières enseignées à l'école sont réparties en quatre blocs : français, calcul, éducation physique et sportive (EPS), et activités d'éveil. Celles-ci regroupent l'histoire, la géographie, les sciences, le dessin et le chant. Cette réforme a été supprimée en 1985.

MÉTRO / 1ʳᵉ CLASSE : À l'époque de maman, les rames de métro étaient composées de cinq voitures : quatre vertes et la rouge, au milieu, qui indiquait les 1ʳᵉ classes (signalées par une bande jaune sur les rames plus récentes). Ces 1ʳᵉ classes avaient l'avantage d'être moins "bondées" aux heures de pointes... mais plus chères. Elles ont été supprimées dans les années 80.

MIXITÉ : Avant 1962, les garçons et les filles étaient toujours séparés. À l'époque de maman, de plus en plus d'écoles deviennent mixtes. Il faudra attendre 1975 pour que toutes le soient.

MUSÉE DE L'HOMME : En 1970, le musée de l'Homme n'était pas tel qu'il est maintenant. Certaines vitrines présentaient, de manière scientifique, des corps momifiés, des moulages de malformations physiques ou des photos pas très "ragoûtantes". Bref, beaucoup de choses horribles qui n'étaient pas vraiment destinées aux enfants.

ORTF : Office de radiodiffusion-télévision française. En 1967, seule la deuxième chaîne était en couleurs mais la plupart des foyers ne possédaient que des postes en noir. La troisième chaîne est lancée en 1973.

POINÇONNEURS : Installés dans une petite guérite, ils faisaient des petits trous dans les tickets. Entre 1970 et 1973, la RATP installe des tourniquets automatiques qui remplacent peu à peu les poinçonneurs. Ils disparaissent définitivement en 1975 ; cette année-là, c'est la création de la carte orange... et la fin d'une époque.

SCHMILBLIC : Jeu télévisé animé par Guy Lux. Les téléspectateurs devaient deviner un objet dont on ne voyait qu'une petite partie à l'écran. Coluche, dans un de ses sketches a, sans aucun doute, contribué à la célébrité de ce jeu.

STYLO-BILLE : L'encrier et le porte-plume ont presque totalement disparu. Maman écrit avec un stylo-bille beaucoup plus pratique.

TAC À TAC : Jeu très en vogue à l'époque de maman, mais qui a été interdit dans les cours de récréation en raison de l'épouvantable bruit de mitraillette que faisaient les deux boules en se heurtant. C'était, de plus, assez dangereux pour les mains.

TEXTES RONÉOTYPÉS : Dans les écoles, il n'y avait pas de photocopieuses. Pour reproduire des textes, on utilisait une ronéo, machine qui fonctionnait à l'aide de papier et d'alcool.

TÉLÉPHONE : Un peu plus de 25 % des foyers, seulement, sont équipés du téléphone en 1970. Il va se développer au cours des années 80.

VESPASIENNES : Ce nom vient de l'empereur romain Vespasien qui avait établi un impôt sur les urinoirs publics. Installées à Paris à la fin du XIXᵉ siècle, ces toilettes pour hommes dégageaient une odeur très désagréable.

BIOGRAPHIE DES AUTEURS

GILLES BONOTAUX

Né en 1956. Illustrateur, auteur. Il travaille pour des éditions de livres
scolaires et de livres pour enfants ainsi que pour la publicité.
Il anime également des ateliers de BD en écoles primaires.

HÉLÈNE LASSERRE

Née en 1959. Auteur. Historienne de formation, elle travaille
avec Gilles Bonotaux pour la recherche de documentations.

REMERCIEMENTS

Nous tenons à remercier :
Mme Sylvestre, responsable de la photothèque de l'Enfance
et de l'Adolescence du CNDP ; Le Bureau des PVP de la Mairie de Paris ;
le Service consommateurs de Benco CPC ; la photothèque du musée
de l'Homme pour leur précieuse documentation ;
Mme Lebouché et Mme Barry de l'école primaire rue Blomet.
Mme Authier pour sa mémoire d'institutrice.
Nos parents, nos sœurs et nos amis pour leurs indispensables souvenirs,
en particulier Brigitte Barjou, Maïté et Michel Houeix...
sans oublier le chat Inocybe de Patouillard pour avoir bien voulu
garder la pose !

Quand maman avait mon âge...